Le chat botté à New York

D'après Charles Perrault
Raconté par André Marois
Illustré par Josée Masse

Usé par le travail et la vieillesse, un épicier new-yorkais vint à mourir, ne laissant pour tout héritage à ses trois fils que sa petite épicerie, sa camionnette de livraison et son chat.

Le partage fut vite fait, car il n'y avait pas grand-chose à partager.

L'aîné eut l'épicerie,

le second récupéra la camionnette,

et le plus jeune dut se contenter du chat.

Le pauvre garçon était complètement démoralisé.

— Mes frères pourront toujours se mettre ensemble pour travailler, ils s'en sortiront. Mais moi, lorsque j'aurai mangé mon chat et que je me serai fabriqué des gants avec sa fourrure, je n'aurai plus rien. Ce n'est pas avec un chat qu'on peut gagner sa vie !

Le matou, qui n'avait pas les oreilles dans sa poche, entendit ces mots. Il songea qu'il avait intérêt à réagir s'il ne voulait pas finir en civet.

— Avant de me transformer en chair à pâté, dit-il à son maître, donnez-moi un sac qui ferme avec un lacet et trouvez-moi de bonnes grosses bottes en cuir pour courir dans les ruelles sans m'abîmer les pattes. Vous verrez qu'un chat est moins bête qu'une camionnette, et vous ne le regretterez pas.

Le maître se dit que ça ne coûtait rien d'essayer. Si jamais le truc ne fonctionnait pas, il mangerait le chat comme il se l'était promis.

Il est vrai qu'il avait déjà vu celui-ci utiliser mille stratagèmes pour capturer des souris et des rats dans la remise de l'épicerie. Ainsi, il pouvait se pendre par les pieds comme une chauve-souris et fondre sur sa proie comme un aigle sur une poule égarée. Un jour, il s'était même déguisé en boîte de céréales et avait capturé deux gros mulots qui pensaient pouvoir déjeuner en paix dans les poubelles. C'était un sacré malin !

Lorsque le chat eut ses bottes, il se botta. Et lorsqu'il eut son sac, il grimpa sur un toit où venaient roucouler tous les pigeons des alentours. Il glissa du grain dans le sac, s'étendit comme s'il était mort et attendit qu'un jeune pigeon gourmand et naïf vienne se fourrer dedans pour tout picorer.

À peine fut-il couché qu'un pigeonneau tête en l'air entra dans le sac. Le chat tira sur le cordon, captura le jeune écervelé et le tua aussi sec. Paf !

Il fila alors à travers la ville pour rejoindre l'hôtel Majestic où séjournait le roi de Pétaouchnok. Il demanda à lui parler. On le fit monter dans la suite de Sa Majesté. Il s'inclina profondément devant le roi et lui dit :

— Sire, monsieur le marquis de Carabas (c'était le nom qu'il avait inventé pour son maître) m'a chargé de vous offrir ce pigeon nourri au grain. Bon appétit !

— C'est parfait : j'avais justement un petit creux ! Tu remercieras ton maître, le marquis de Carpentras, répondit le roi.

— Carabas, messire, Carabas.

Deux jours plus tard, le chat se cacha dans un terrain vague. Tenant toujours son sac ouvert, il attendit que deux lapins échappés d'un magasin d'animaux y soient entrés pour tirer le cordon et les attraper.

Il retourna chez le roi comme la première fois. Ce dernier fut ravi, car il avait un gros creux, et il lui offrit à boire un verre de petit-lait.

Le chat continua ainsi son manège pendant quinze jours, apportant toujours au roi du gibier de la part du marquis.

Un jour, apprenant par le portier de l'hôtel que le roi devait aller se promener avec sa fille, la plus belle princesse des Amériques, il courut chez son maître.

— Si vous faites tout ce que je vous dis, vous êtes un homme riche. Allez vous baigner sur la plage de Coney Island et laissez-moi agir. Si on vous demande votre nom, répondez que vous vous appelez le marquis de Carabas.

— Le marquis de Carapace ?

— Carabas, mon maître, Carabas.

Aussitôt dit, aussitôt fait. Le jeune homme plongea là où le chat le lui avait demandé, sans savoir à quoi tout cela rimait.

À peine fut-il dans l'eau que le roi passa près de là dans son carrosse-limousine. Le chat se mit alors à crier de toutes ses forces.

— Au secours ! Monsieur le marquis de Carabas se noie ! À l'aide, quelqu'un ! Envoyez les hommes-grenouilles ! Appelez les pompiers ! Trouvez un maître nageur ! Au secours !

Le roi entendit le vacarme, regarda par la fenêtre et reconnut le chat qui lui avait apporté tout ce bon gibier dont il s'était régalé. Il ordonna aussitôt à ses gardes du corps d'aller secourir le marquis de Carabas.

Pendant qu'on aidait le marquis à sortir de l'eau, le chat botté s'approcha du carrosse et s'adressa au roi.

— Messire, mon maître ne peut venir vous saluer, car il est tout nu ! En effet, des voleurs lui ont dérobé tous ses habits pendant qu'il se baignait.

En fait, le filou avait dissimulé les vieux vêtements du marquis sous une pile de journaux qui traînait par là.

Le roi appela son habilleuse, responsable de sa garde-robe.

— Allez vite chercher un de mes plus beaux habits pour le marquis de Quatre-pattes.

— Carabas, messire, Carabas !

Le jeune homme se retrouva vêtu d'un superbe costume à la mode de New York. Comme il était beau garçon et plutôt musclé, la fille du roi le trouva fort à son goût. Ils échangèrent des regards langoureux et quelques sottises, rougirent et tombèrent amoureux illico. Un peu comme dans les films.

Le roi invita alors le marquis dans sa limousine aux
vitres blindées, histoire de continuer la promenade
tous ensemble.

Dès que son maître fut monté, le chat courut devant.
Il rencontra des laveurs de vitres et leur dit :

— Braves gens qui lavez, si vous ne dites pas au roi
que la tour que vous nettoyez appartient au marquis de
Carabas, vous serez tous transformés en chair à saucisse.

— Le marquis de Calebasse ?

— Carabas, bougres d'imbéciles, Carabas !

Le roi arriva peu après et demanda en effet aux laveurs à qui appartenait la tour.

— C'est à monsieur le marquis de Carambar, dirent-ils, terrorisés par la menace du chat.

— Vous avez là un bel héritage, dit le roi au marquis.

— En effet, voilà une tour qui me rapporte abondamment chaque année. J'en suis assez content.

Le jeune homme n'en revenait pas de la tournure des événements mais, devinant que le chat devait être à l'origine de tout cela, il jouait le jeu à la perfection.

Pendant ce temps, le chat allait toujours de l'avant. Il rencontra ainsi des livreurs de pizzas et leur dit :

— Braves gens qui livrez, si vous ne dites pas au roi que toutes ces pizzas appartiennent au marquis de Carabas, vous serez tous transformés en chair à saucisse.

— Le marquis de Bar-tabac ?

— Carabas, bande de sourds, Carabas !

Le roi arriva un moment après et voulut savoir à qui appartenaient toutes ces belles pizzas odorantes.

— C'est à monsieur le marquis de Macaréna, répondirent tous les livreurs en chœur.

Le roi fut impressionné et le fit savoir à son invité.

Le chat botté continuait à courir devant le carrosse, répétant la même chose à tous ceux qu'il rencontrait : vendeurs de cacahuètes, cordonniers, banquiers, chauffeurs de taxis jaunes, libraires...

Le roi était estomaqué par la fabuleuse richesse du marquis de Carabas, même s'il n'osait pas prononcer son nom, de peur de l'écorcher.

Le chat arriva enfin devant un magnifique gratte-ciel, dont le propriétaire était le plus cruel et le plus riche de tous les ogres. En fait, toutes les rues où le roi était passé lui appartenaient. Tout le monde travaillait pour ce monstre.

Le chat se renseigna discrètement sur l'ogre, puis il demanda à le rencontrer, expliquant qu'il ne pouvait pas traverser ce quartier sans venir lui faire une révérence.

L'ogre le reçut aussi poliment qu'un ogre peut le faire. Le chat s'adressa alors ainsi à lui :

— On raconte que vous avez le don de vous transformer en toute sorte d'animaux : en girafe, en tricératops et même en lion. J'ai du mal à le croire...

— C'est pas des blagues ! répondit l'ogre, qui était susceptible. Je vais d'ailleurs vous le prouver tout de suite.

Et il prit la forme d'un énorme lion rugissant. Le chat, terrorisé, grimpa en haut d'une armoire. Non sans peine, car ses bottes n'étaient vraiment pas faites pour l'escalade.

Quand l'ogre vit qu'il avait réussi son effet, il redevint lui-même, et le chat descendit de son perchoir. Il avoua qu'il avait eu une peur bleue.

— On raconte aussi que vous avez le pouvoir de prendre la forme des plus petits animaux : hamster, rat ou souris, par exemple. Je dois dire que j'ai encore plus de mal à croire cela.

— Ah oui ? Eh bien, regarde ça, mon minou !

L'ogre se changea soudain en une toute petite souris, qui se mit à courir sur le plancher. Le chat ne perdit pas une seconde : il sauta dessus et la croqua en trois bouchées.

Pendant ce temps, le carrosse était arrivé devant le gratte-ciel de l'ogre. Le chat accourut aussitôt.

— Que Votre Majesté soit la bienvenue dans la demeure de monsieur le marquis de Carabas.

— Waoh ! s'écria le roi. Ce bâtiment est aussi à vous ? Je n'ai jamais rien vu de plus beau que ces cinquante-quatre étages. Je suis jaloux. Faites-moi visiter, cher marquis de Maracas.

— Carabas, Votre Majesté, Carabas.

Le marquis tendit la main à la belle princesse, et ils suivirent le roi jusque dans une grande salle où se trouvait dressée une table pour un repas de fête. L'ogre attendait en effet quelques méchants amis, mais ceux-ci n'avaient pas osé entrer, sachant que le roi était là.

— Justement, j'avais un petit creux ! s'exclama le souverain. Et soif aussi.

Après avoir mangé comme quatre et bu comme six, il se tourna vers le jeune homme, qui ne quittait pas sa fille des yeux.

— Monsieur le marquis, vos biens sont considérables, votre nourriture est délicieuse, et ma fille m'a tout l'air de vous trouver épatant. Il n'en tient donc qu'à vous de devenir mon gendre, en l'épousant.

Le marquis accepta cet honneur et se maria le soir même avec la belle princesse de Pétaouchnok.

Le chat botté devint un grand seigneur new-yorkais. Il ne courut plus après les souris que pour s'amuser... et faire un peu fondre la graisse qui l'enrobait.

Fin

Nous remercions le Conseil des
Arts du Canada de l'aide accordée
à notre programme de publication
et la SODEC pour son appui
financier en vertu du programme
d'aide aux entreprises du livre et
de l'édition spécialisée.

Nous reconnaissons l'aide financière
du gouvernement du Canada par
l'entremise du programme d'aide
au développement de l'industrie
de l'édition (PADIÉ) pour nos
activités d'édition.

Le chat botté à New York

Adaptation d'un conte de Charles
Perrault, le présent ouvrage, pu-
blié sous la direction de Stéphane
Jorisch, est raconté par André
Marois et illustré par Josée Masse.

Conception graphique et montage :
Andrée Lauzon

Révision : Christiane Duchesne
Correction : Michèle Marineau

Diffusion au Canada
Diffusion Dimedia inc.
539, boul. Lebeau
Saint-Laurent (Québec)
H4N 1S2

Téléphone : (514) 336-3941
Télécopieur : (514) 331-3916

© André Marois, Josée Masse
et les éditions Les 400 coups

Dépôt légal — 1er trimestre 2000
Bibliothèque nationale du Québec
Bibliothèque nationale du Canada

ISBN 2-921620-41-3

Imprimé au Canada par
Litho Mille-Îles ltée
en février 2000.